USBORNE

# FIRST THOUSAND WORDS

## IN FRENCH

Heather Amery

## Illustrated by Stephen Cartwright

Revised edition by Mairi Mackinnon
Picture editing by Mike Olley
French language consultant: Lorraine Beurton-Sharp

There is a little yellow duck to look for on every
double page with pictures. Can you find it?

Stephen Cartwright's
little yellow duck made
his first-ever appearance in *The First
Thousand Words* over thirty years ago.
Duck has since featured in over 125
titles, in more than 70 languages, and
has delighted millions of readers,
both young and old,
around the world.

This revised edition first published in 2015 by Usborne Publishing Ltd, 83-85 Saffron Hill, London EC1N 8RT. www.usborne.com
Based on a previous title first published in 1979. Copyright © 2015, 1995, 1979 Usborne Publishing Ltd.
First published in America in 2015.

# About this book

**The First Thousand Words in French** is an enormously popular book that has helped many thousands of children and adults learn new words and improve their French language skills.

You'll find it easy to learn words by looking at the **small, labeled pictures**. Then you can practice the words by talking about the large central pictures. You can also **listen to the words** on the Usborne website (see below).

There is an alphabetical **word list** at the back of the book, which you can use to look up words in the picture pages.

Remember, this is a book of a thousand words. It will take time to learn them all.

## Masculine and feminine words

When you look at French words for things such as "table" or "man," you will see that they have **le** or **la** in front of them. This is because all French words for people and things are either masculine or feminine. **Le** is the word for "the" in front of a masculine word, **la** is "the" in front of a feminine word, and you use **l'** in front of words that begin with "a," "e," "i," "o" or "u." For plurals (more than one, as in "tables" or "men"), the French word for "the" is **les**.

All the labels in this book show words for things with **le, la, l'** or **les**. Always learn them with this little word.

## Looking at French words

A few French words have accents. These are signs that are written over or under some letters. Usually they are over the letter "e," and they change the way you say the letter.

## How to say the French words

The best way to learn how to pronounce French words is to listen to a native French speaker. You can hear the words in this book, read by a native speaker, on the Usborne Quicklinks website. Just go to **www.usborne.com/quicklinks** and enter the keywords **1000 french**. There you can also find links to other useful websites about France and the French language.

Please note that Usborne Publishing is not responsible for the content of external websites. Please follow the internet safety guidelines on the Usborne Quicklinks website.

la boîte de peinture

les bouteilles

les poissons rouges

l'hélicoptère

le puzzle

le chocolat

# La maison

la baignoire

le savon

le robinet

le papier hygiénique

la brosse à dents

l'eau

les toilettes

l'éponge

le lavabo

la douche

la serviette

le lit

## La salle de bains

## Le salon

le dentifrice

la radio

le coussin

le DVD

la moquette

le canapé

4

la chaise

la couette

le peigne

le drap

la descente de lit

l'armoire

# La chambre

la télévision

la commode

le miroir

la brosse
à cheveux

la lampe

# L'entrée

les posters

le portemanteau

le téléphone

radiateur

les fruits

le journal

la table

les lettres

l'escalier

5

# La cuisine

le réfrigérateur

les verres

la pendule

le tabouret

les petites
cuillères

l'interrupteur

le paquet
de lessive

la clé

la porte

l'aspirateur

l'évier

les casseroles

les fourchettes

le tablier

la planche
à repasser

les ordures

bouilloire

  les couteaux

 le balai à franges

le chiffon

les carreaux

le balai

 le lave-linge

 la pelle à ordures

 le tiroir

 les soucoupes

 la poêle

 la cuisinière

 les cuillères en bois

 les assiettes

 le fer à repasser

 le placard

 le torchon

  les tasses

 les allumettes

 la brosse

les bols

7

# Le jardin

la brouette

la ruche

l'escargot

les briques

le pigeon

la bêche

la coccinelle

la poubelle

les graines

l'appentis

l'arrosoir

le ver
de terre

les fleurs

le tourniquet

la binette

la guêpe

l'abeille

le déplantoir

l'os

la haie

la fourche

la tondeuse

le chemin

les feuilles

l'arbre

la fumée

la chenille

le râteau

le nid

les bâtons

la serre

l'herbe

le landau

les légumes

le feu

le tuyau d'arrosage

9

# L'atelier

l'étau

le papier de verre

la perceuse

l'échelle

la scie

la sciure

le calendrier

la boîte à outils

les vis

le tournevis

la planche

les copeaux

le canif

es punaises

l'araignée

les boulons

les écrous

la toile d'araignée

le tonneau

la mouche

la hache

le mètre

le marteau

la lime

le pot de
peinture

le rabot

les morceaux
de bois

les clous

l'établi

les pots

11

# La rue

le magasin

le trou

le café

l'ambulance

le trottoir

la statue

la cheminée

le toit

la chargeuse

l'hôtel

l'autobus

le monsieur

la voiture de police

les tuyaux

le marteau piqueur

l'école

la cour de récréation

12

le taxi

le passage
pour piétons

l'usine

le camion

le feu
de signalisation

le cinéma

la camionnette

le rouleau
compresseur

la remorque

la maison

le marché

les marches

la moto

bicyclette

le camion de
pompiers

l'agent de
police

la voiture

la dame

le
lampadaire

l'immeuble 13

# Le magasin de jouets

le train électrique

les dés

la flûte

le robot

le collier

l'appareil photo

les perles

les poupées

la guitare

la bague

la maison
de poupée

l'harmonica

le sifflet    les cubes    le château fort    le sous-marin    la trompette    les flèche

14

l'arc

le parachute

le bateau
à voiles

les bâtons de
maquillage

le rouleau
compresseur

les masques

la voiture
de course

le cheval à bascule

la tirelire

les billes

les marionnettes

le piano

les astronautes

la grue

les cartes
à jouer

les tambours

les soldats
de plomb

la boîte de
peinture

la fusée

15

# Le jardin public

les balançoires

le bac à sable

le pique-nique

le cerf-volant

la glace

le chien

la barrière

le chemin

la grenouille

le toboggan

le banc

les têtards

le lac

les rollers

le buisson

le bébé

la planche
à roulettes

la terre

la poussette

la bascule

les enfants

le tricycle

les oiseaux

la clôture

le ballon

le bateau

la ficelle

la flaque d'eau

les canetons

la corde
à sauter

les arbres

la plate-bande

les cygnes

la laisse

les canards

17

# Les animaux

le panda

l'aile

l'aigle

l'hippopotame

les pattes

le kangourou

la chauve-souris

le gorille

le singe

l'iceberg

le manchot

la queue

le loup

le crocodile

l'ours

les plumes

le pélican

l'autruche

le dauphin

le lion

les lionceaux

la girafe

18

le cerf

le dromadaire

le phoque

la tortue

l'ours blanc

l'éléphant

la trompe

le rhinocéros

le bison

les cornes

le castor

la chèvre

le zèbre

le serpent

le requin

la baleine

le tigre

le léopard

19

les rails

la locomotive

les tampons

les wagons

le mécanicien

le train de
marchandises

le quai

la contrôleuse

la valise

la billetterie

# Le voyage

## La gare

## Le garage

les feux
de signalisation

le sac à dos

les phares

le moteur

la roue

la batter

20

l'avion

l'hélicoptère

la piste

la tour de contrôle

l'équipage

le pilote

le lavage-auto

le coffre

l'essence

la dépanneuse

L'aéroport

LAVAGE-AUTO

le camion-citerne

la clef

le pneu

le capot

l'huile

la pompe à essence

21

l'éolienne

la montgolfière

le papillon

le lézard

les pierres

le renard

le ruisseau

le poteau indicateur

le hérisson

# La campagne

la montagne

l'écluse

l'écureuil

la forêt

le blaireau

la rivière

la route

les tentes

le canal

les rondins

le village

le papillon
de nuit

le pont

la péniche

la cascade

le hibou

le tunnel

les renardeaux

la taupe

le pêcheur

les rochers

le crapaud

le train

la caravane

la colline

23

la meule de foin

le chien de berger

les agneaux

la mare

les poussins

le grenier

la porcherie

le taureau

le poulailler

# La ferme

le coq

24  le tracteur

les oies

le camion-citerne

le hangar

la boue

la charret

e fermier

 le champ

 les poules

 le veau

la palissade

la selle

 l'étable

 la vache

 la charrue

 le verger

 l'écurie

les petits cochons

 l'âne

 les dindons

 l'épouvantail

 la ferme

 le foin

 les moutons

les bottes de paille

 le cheval

 les cochons

25

# La plage

le bateau
à voiles

la mer

la rame

le phare

la pelle

le seau

l'étoile de mer

le château
de sable

le parasol

le drapeau

le marin

le coquillage

le crabe

la mouette

l'île

le canot
à moteur

le ski nautique

26

les vagues

le chapeau
de paille

la falaise

le navire

le kayak

la corde

les galets

les algues

le filet

la pagaie

le bateau
de pêche

les palmes

l'écran solaire

le poisson

le transat

le maillot
de bain

le pétrolier

la plage

la barque

27

# L'école

les ciseaux

2 + 2 = 4
2 + 3 = 5
le calcul

la gomme

la règle

les photos

les feutres

l'argile

la boîte de peinture

le garçon

le crayon

le tableau

le bureau

les livres

le stylo plume

la colle

la craie

le dessin

28

la corbeille
à papier

l'institutrice

la boîte

la carte

le pinceau

le plafond

le mur

le plancher

le cahier

a b c d e f g
h i j k l m n
o p q r s t u
v w x y z

l'alphabet

le badge

l'aquarium

le papier

le store

le tableau
noir

a b c d e f g
h i j k l m n
o p q r s t u
v w x y z

2+2=4
2+3=5

la poignée

la plante

le globe

la fille

les crayons
cire

la lampe

29

# L'hôpital

l'infirmier

le coton

le médicament

l'ascenseur

la robe de chambre

les béquilles

les comprimés

le plateau

la montre

le thermomètre

le rideau

**30**

la pomm

le plâtre

la bande

le fauteuil roulant

le puzzle

le docteur

la seringu

# Le docteur

les chaussons

l'ordinateur

le pansement

la banane

le raisin

le panier

les jouets

la poire

les cartes

la couche

la canne

la salle d'attente

l'oreiller

la chemise de nuit

le pyjama

l'orange

les mouchoirs en papier

la BD

31

# La fête

le ballon

le chocolat

les lunettes

le bonbon

la fenêtre

les feux d'artifice

le ruban

le gâteau

les cadeaux

la paille    la bougie

la guirlande

les jouets

32

la clémentine

le saucisson

l'ours en peluche

la saucisse

les chips

les déguisements

la cerise

le jus de fruits

la framboise

la fraise

l'ampoule

le sandwich

le beurre

le biscuit

le fromage

le pain

la nappe

33

le pamplemousse

la carotte

le chou-fleur

le poireau

le champignon

le concombre

le citron

le céleri

l'abricot

le melon

# Le magasin

le sac

fromage

fruits et légumes

l'oignon

le chou

la pêche

la laitue

les petits pois

la toma

34

les œufs

 la prune

 la farine

la balance

les bocaux

la viande

 l'ananas

 le yaourt

 le panier

 les bouteilles

 le sac à main

 le porte-monnaie

 l'argent

 les boîtes
de conserve

 le chariot

 les pommes
de terre

les épinards

 les haricots

 la caisse

 la citrouille

35

# La nourriture

le petit déjeuner

le déjeuner

l'œuf à la coque

l'œuf au plat

le pain grillé

la confiture

le café

la crème

le sucre

le lait

le thé

la théière

le miel

les céréales

le chocolat chaud

le sel

le poivre

les crêpes

les petits pains

36

le dîner

le jambon

la soupe

l'omelette

la salade

les baguettes

le hamburger

le poulet

le riz

le ketchup

les spaghetti

la purée

la pizza

les frites

les desserts

37

# Moi

la tête

les cheveux

la figure

le bras

le coude

le ventre

le sourcil

l'œil

le nez

la joue

la bouche

les lèvres

les dents

la langue

le menton

les oreilles

le cou

les épaules

les doigts de pied

le pied

la jambe

le genou

la poitrine

le dos

le derrière

la main

le pouce

les doigts

# Les vêtements

les chaussettes

le slip

le maillot de corps

le pantalon

le jean

le tee-shirt

la jupe

la chemise

la cravate

le short

le collant

la robe

le pull-over

le sweat-shirt

le gilet

l'écharpe

le mouchoir

les tennis

les chaussures

les sandales

les bottes

les gants

la ceinture

la boucle

la fermeture
éclair

le lacet

le bouton

les
boutonnières

les poches

le manteau

le blouson

la casquette

le chapeau

39

# Les gens

l'acteur    l'actrice

le cuisinier

le chanteur

la chanteuse

le danseur    la danseuse

l'astronaute

le boucher

les agents
de police

le menuisier

le pompier

l'artiste

le juge

le mécanicien

la mécanicienn

40

le coiffeur

le chauffeur
de camion

le conducteur
d'autobus

le serveur
la serveuse

le facteur

la dentiste

le plongeur

le peintre

la boulangère

# La famille

le fils
le frère

la fille
la sœur

la mère
la femme

le père
le mari

la tante    l'oncle

l'animal
familier

le cousin

le grand-père

la grand-mère

41

# Les actions

rire

sourire

pleurer

penser

écouter

attraper

lancer

casser

peindre

écrire

couper

couper

manger

parler

creuser

porter

boire

faire

sauter

danser

se laver

tricoter

42

ramper

jouer

regarder

grimper

se bagarrer

dormir

prendre

sauter à la corde

coudre

attendre

faire la cuisine

se cacher

lire

acheter

pousser

chanter

souffler

tirer

balayer

cueillir

tomber

marcher

courir

être assis

43

# Les contraires

bien

mal

le haut

le bas

loin

près

froid

chaud

mouillé

sec

gros

maigre

sale

propre

sur

sous

ouvert

fermé

petit

grand

peu

beaucoup

premier

dernier

à gauche

44

dehors

dedans

facile

difficile

vide

plein

mou

dur

devant

haut

lent

rapide

derrière

bas

long

court

mort

vivant

sombre

clair

vieux

en haut

à droite

neuf

en bas

45

# Les jours

lundi
mardi
mercredi
jeudi
vendredi
samedi
dimanche

le calendrier

le matin

le soleil

le soir

la nuit

l'espace

la planète

le vaisseau spatial

la lune

l'étoile

le télescope

46

# Jours de fête

l'anniversaire

la carte
d'anniversaire

les vacances

la bougie

le cadeau

le gâteau
d'anniversaire

le jour du mariage

les invités

l'appareil photo

la demoiselle
d'honneur

la mariée   le marié

le photographe

Noël

le renne

le traîneau

le père Noël

le sapin
de Noël

# Le temps

le soleil

les nuages

le ciel

le parapluie

la pluie

l'éclair

le brouillard

la neige

la rosée

le vent

la brume

le givre

l'arc-en-ciel

# Les saisons

le printemps

l'été

l'automne

l'hiver

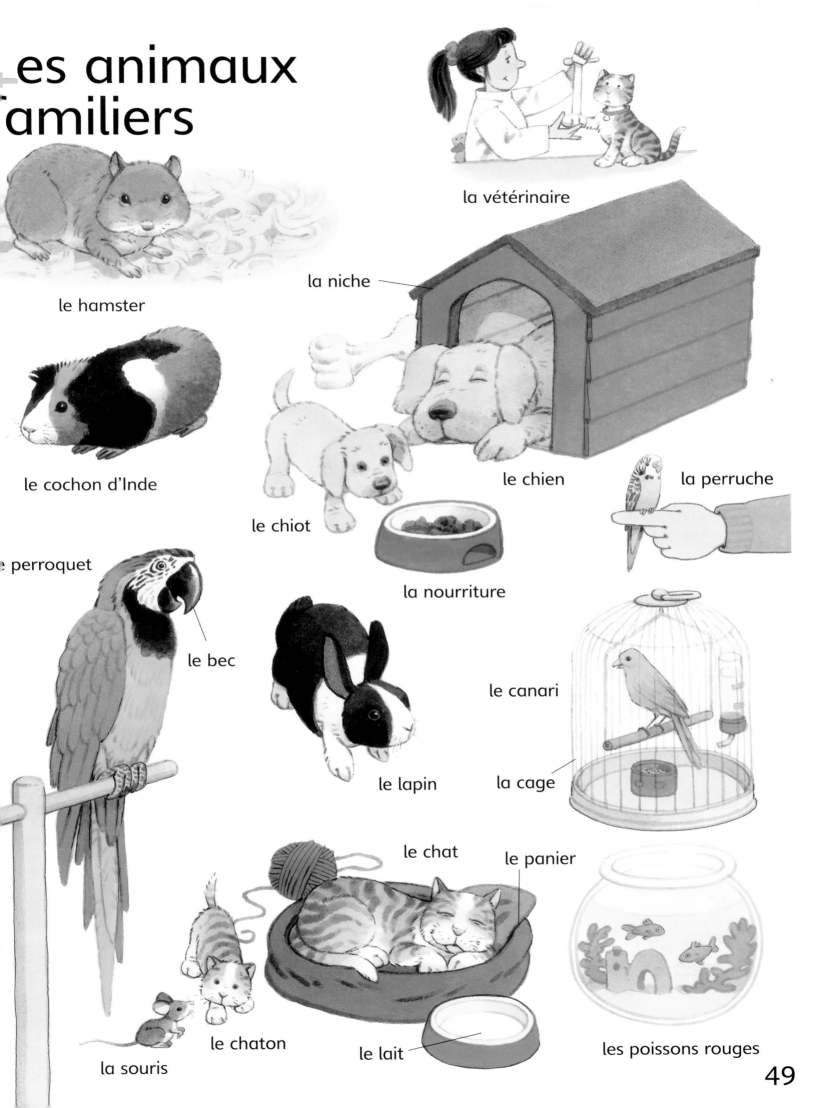

# Les animaux familiers

le hamster

le cochon d'Inde

la vétérinaire

la niche

le chien

le chiot

la nourriture

la perruche

le perroquet

le bec

le lapin

le canari

la cage

le chat

le panier

la souris

le chaton

le lait

les poissons rouges

# Les sports

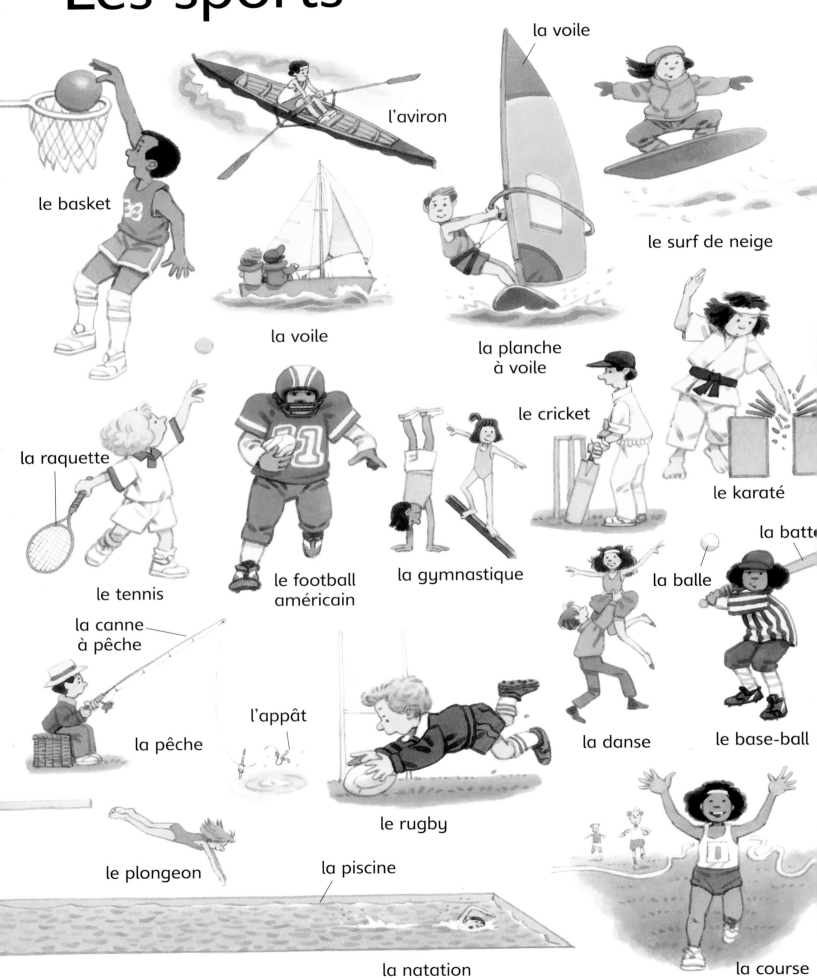

la voile

l'aviron

le basket

la voile

le surf de neige

la planche à voile

le cricket

le karaté

la raquette

le football américain

la gymnastique

la batte

la balle

le tennis

la canne à pêche

la danse

le base-ball

l'appât

la pêche

le rugby

le plongeon

la piscine

la natation

la course

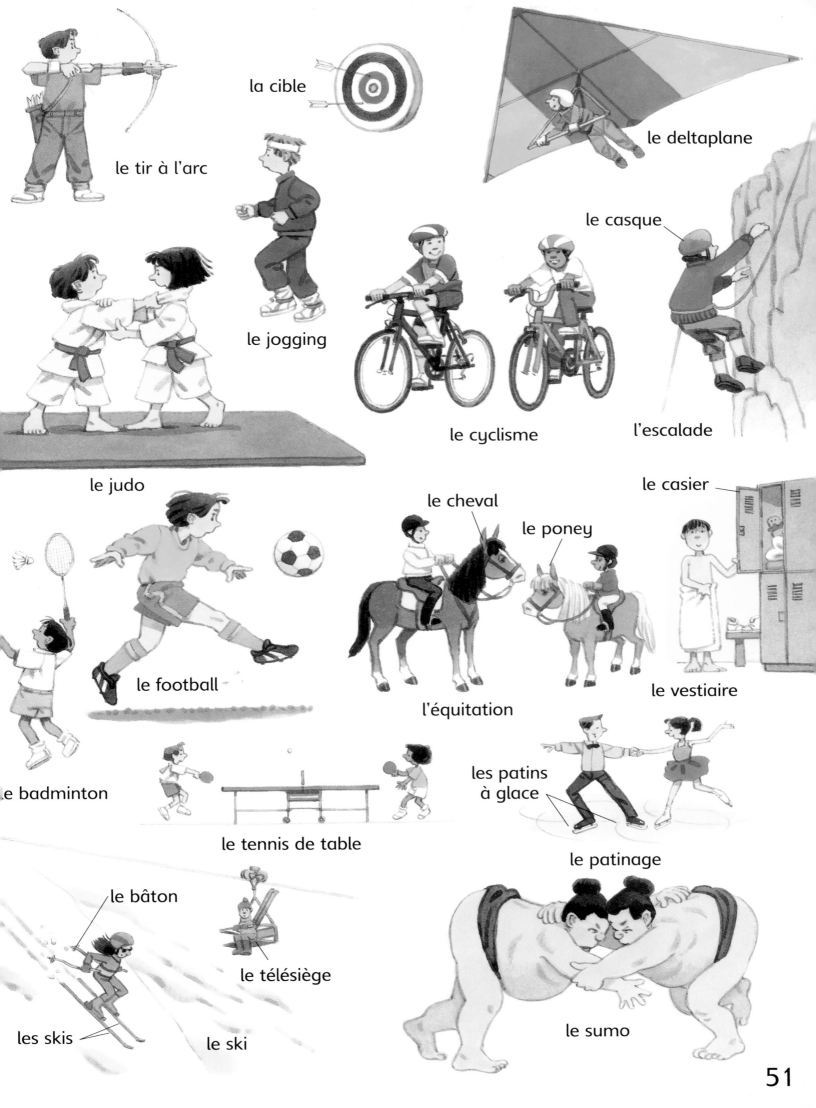

le tir à l'arc

la cible

le deltaplane

le casque

le jogging

le cyclisme

l'escalade

le judo

le cheval

le poney

le casier

le football

l'équitation

le vestiaire

le badminton

les patins à glace

le tennis de table

le patinage

le bâton

le télésiège

les skis

le ski

le sumo

51

# Les couleurs

orange

vert

noir

gris

rouge

marron

blanc

bleu

rose

violet

jaune

# Les formes

le rectangle

le cercle

le losange

le cône

l'étoile

le cube

l'ovale

le triangle

le carré

le croissant

# Les nombres

| | |
|---|---|
| 1 | un |
| 2 | deux |
| 3 | trois |
| 4 | quatre |
| 5 | cinq |
| 6 | six |
| 7 | sept |
| 8 | huit |
| 9 | neuf |
| 10 | dix |
| 11 | onze |
| 12 | douze |
| 13 | treize |
| 14 | quatorze |
| 15 | quinze |
| 16 | seize |
| 17 | dix-sept |
| 18 | dix-huit |
| 19 | dix-neuf |
| 20 | vingt |

# La fête foraine

la grande roue

le manège

la barbe à papa

le train fantôme

le pop-corn

le paillasson

le toboggan géant

les autos tamponneuses

les anneaux

les montagnes russes

# Le cirque

le funambule

la perche

le trapèze

le fil

l'échelle de corde

le filet

le cycliste acrobate

le lapin

les acrobates

le dresseur

le chien

le cerceau

le haut-de-forme

le jongleur

le nœud papillon

l'orchestre

l'écuyère

le clown

55

# Word list

In this list, you can find all the French words in this book. They are listed in alphabetical order. Next to each one, you can see its pronunciation (how to say it) in letters *like this*, and then its English translation.

Remember that French nouns (words for things) are either masculine or feminine (see page 3). In the list, each one has **le**, **la**, **l'** or **les** in front of it. These all mean "the." The words with **le** are masculine, those with **la** are feminine.

French nouns that begin with "a," "e," "i," "o," or "u," and many that begin with "h," have **l'** in front of them. At the end, you will see **(m)** or **(f)** to show if the word is masculine or feminine. Plural nouns (a noun is plural if you are talking about more than one, for example "cats") have **les** in front. These are also followed by **(m)** or **(f)**.

## About French pronunciation
Read the pronunciation guide as if it were an English word, but try to remember the following points about how French words are said:

- the French **j** is said like the "s" in "treasure"
- when you see (n) or (m) in a pronunciation, you should barely say the "n" or "m;" say the letter that is before it through your nose, as if you had a cold
- the French **r** is made at the back of the throat and sounds a little like gargling
- the French **u** is not like any sound in English. It is a little like a cross between the "ew" of "few" and the "oo" of "food." To say it, round your lips to say "oo," then try to say "ee;" the pronunciation guide uses the letters "ew" to show this sound.

## A

| | | |
|---|---|---|
| l'abeille (f) | *labbay* | bee |
| l'abricot (m) | *labreekoh* | apricot |
| acheter | *ash-tai* | to buy |
| les acrobates (m/f) | *laiz akro-bat* | acrobats |
| l'acteur (m) | *lak-tuhr* | actor |
| les actions (f) | *laiz ak-see-o(n)* | actions |
| l'actrice (f) | *lak-treess* | actress |
| l'aéroport (m) | *la-ai-roh-por* | airport |
| l'agent de police (m) | *la-jo(n) duh poleess* | policeman |
| les agents de police (m/f) | *laiz a-jo(n) duh poleess* | police |
| les agneaux (m) | *laiz an-yoh* | lambs |
| l'aigle (m) | *laigl* | eagle |
| l'aile (f) | *lail* | wing |
| les algues (f) | *laiz alg* | seaweed |
| les allumettes (f) | *laiz allewmett* | matches |
| l'alphabet (m) | *lalfa-bai* | alphabet |
| l'ambulance (f) | *lo(m)bewla(n)ss* | ambulance |
| l'ampoule (f) | *lo(m)pool* | lightbulb |
| l'ananas (m) | *lanna-na* | pineapple |
| l'âne (m) | *lan* | donkey |
| l'animal familier (m) | *lanneemal fammeel-yai* | pet |
| les animaux (m) | *laiz anneemoh* | animals |
| les animaux familiers (m) | *laiz anneemoh fammeel-yai* | pets |
| les anneaux (m) | *laiz annoh* | ring toss |
| l'anniversaire (m) | *lannee-vair-sair* | birthday |
| l'appareil photo (m) | *lappa-ray fotoh* | camera |
| l'appât (m) | *lappa* | bait |
| l'appentis (m) | *lappo(n)tee* | shed |
| l'aquarium (m) | *lakwaree-om* | aquarium |
| l'araignée (f) | *la-renn-yai* | spider |
| l'arbre (m) | *larbr* | tree |
| les arbres (m) | *laiz arbr* | trees |
| l'arc (m) | *lark* | bow |
| l'arc-en-ciel (m) | *lark o(n) see-ell* | rainbow |
| l'argent (m) | *lar-jo(n)* | money |
| l'argile (f) | *lar-jeel* | clay |
| l'armoire (f) | *lar-mwar* | closet |
| l'arrosoir (m) | *larrozwar* | watering can |

| | | |
|---|---|---|
| l'artiste (m/f) | *lar-teest* | artist |
| l'ascenseur (m) | *lasso(n)-suhr* | elevator |
| l'aspirateur (m) | *lass-peera-tuhr* | vacuum cleaner |
| les assiettes (f) | *laiz ass-yett* | plates |
| l'astronaute (m/f) | *lass-troh-noht* | astronaut |
| les astronautes (m/f) | *laiz ass-troh-noht* | astronauts, spacemen |
| l'atelier (m) | *lattuh-lee-yai* | workshop |
| attendre | *atto(n)dr* | to wait |
| attraper | *attra-pai* | to catch |
| l'autobus (m) | *lohto-bewss* | bus |
| l'automne (m) | *loh-tonn* | fall |
| les autos tamponneuses (f) | *laiz ohtoh to(m)ponnuhz* | bumper cars |
| l'autruche (f) | *loh-trewsh* | ostrich |
| l'avion (m) | *lav-yo(n)* | plane |
| l'aviron (m) | *lavee-ro(n)* | rowing |

## B

| | | |
|---|---|---|
| le bac à sable | *luh bak a sabl* | sandpit |
| le badge | *luh badj* | badge |
| le badminton | *luh bad-meen-ton* | badminton |
| se bagarrer | *suh ba-garrai* | to fight |
| la bague | *la bag* | ring |
| les baguettes (f) | *lai baggett* | chopsticks |
| la baignoire | *la bai-nwar* | bathtub |
| le balai | *luh ballai* | broom |
| le balai à franges | *luh ballai a fro(n)j* | mop |
| la balance | *la ballo(n)ss* | scales |
| les balançoires (f) | *lai ballo(n)-swar* | swings |
| balayer | *ballai-yai* | to sweep |
| la baleine | *la ballenn* | whale |
| la balle | *la bal* | ball (small) |
| le ballon | *luh ballo(n)* | ball (large), balloon |
| la banane | *la banann* | banana |
| le banc | *luh bo(n)* | bench |
| la bande | *la bon(n)d* | bandage |
| la barbe à papa | *la barb a pappa* | cotton candy |
| la barque | *la bark* | rowboat |
| la barrière | *la baryair* | gate |
| bas | *ba* | low |
| le bas | *luh ba* | bottom (not top) |

56

| French | Pronunciation | English |
|---|---|---|
| la bascule | la bass-kewl | seesaw |
| le base-ball | luh bais-boll | baseball |
| le basket | luh bass-kett | basketball |
| le bateau | luh battoh | boat |
| le bateau à voiles | luh battoh a vwal | sailboat |
| le bateau de pêche | luh battoh duh pesh | fishing boat |
| le bâton (de ski) | luh batto(n) (duh skee) | ski pole |
| les bâtons (m) | lai batto(n) | sticks |
| les bâtons de maquillage (m) | lai batto(n) duh makee-yaj | face paints |
| la batte | la batt | bat (for sports) |
| la batterie | la batt-ree | battery |
| la BD | la bai-dai | comic book |
| beaucoup | boh-koo | many |
| le bébé | luh baibai | baby |
| le bec | luh bek | beak |
| la bêche | la besh | shovel |
| les béquilles (f) | lai bekeey | crutches |
| le beurre | luh burr | butter |
| la bicyclette | la beesee-klett | bicycle |
| bien | b'ya(n) | well, good |
| les billes (f) | lai beey | marbles |
| la billetterie | la bee-yet-tree | ticket machine |
| la binette | la beennett | hoe |
| le biscuit | luh beess-kwee | cookie |
| le bison | luh beezo(n) | bison |
| le blaireau | luh blai-roh | badger |
| blanc | blo(n) | white |
| bleu | bluh | blue |
| le blouson | luh bloo-zo(n) | jacket |
| les bocaux (m) | lai bokkoh | jars |
| boire | bwar | to drink |
| la boîte | la bwatt | box |
| la boîte à outils | la bwatt a ootee | toolbox |
| la boîte de peinture | la bwatt duh pa(n)tewr | paintbox |
| les boîtes de conserve (f) | lai bwatt duh ko(n)sairv | cans (of food) |
| les bols (m) | lai bol | bowls |
| le bonbon | luh bo(n)bo(n) | candy |
| les bottes (f) | lai bott | boots (to wear) |
| les bottes de paille (f) | lai bott duh pie | straw bales |
| la bouche | la boosh | mouth |
| le boucher | luh booshai | butcher |
| la boucle | la bookl | buckle |
| la boue | la boo | mud |
| la bougie | la boo-jee | candle |
| la bouilloire | la booy-war | kettle |
| la boulangère | la boolo(n)-jair | baker (woman) |
| les boulons (m) | lai boolo(n) | bolts |
| les bouteilles (f) | lai boo-tay | bottles |
| le bouton | luh booto(n) | button |
| les boutonnières (f) | lai boo-ton-yair | button holes |
| le bras | luh bra | arm |
| les briques (f) | lai breek | bricks |
| la brosse | la bross | brush |
| la brosse à cheveux | la bross a shuh-vuh | hairbrush |
| la brosse à dents | la bross a do(n) | toothbrush |
| la brouette | la broo-ett | wheelbarrow |
| le brouillard | luh broo-yar | fog |
| la brume | la brewm | mist |
| le buisson | luh bwee-so(n) | bush |
| le bureau | luh bew-roh | desk |

## C

| French | Pronunciation | English |
|---|---|---|
| se cacher | suh kashai | to hide |
| les cadeaux (m) | lai kaddoh | presents |
| le café | luh kaffai | café, coffee |
| la cage | la kaj | cage |
| le cahier | luh ka-yai | notebook |
| la caisse | la kess | checkout |
| le calcul | luh kal-kewl | sums |
| le calendrier | luh kallo(n)-dree-yai | calendar |
| le camion | luh kam-yo(n) | truck |
| le camion-citerne | luh kam-yo(n) seetairn | tanker (truck) |
| le camion de pompiers | luh kam-yo(n) duh po(m)p-yai | fire engine |
| la camionnette | la kam-yonnett | van |
| la campagne | la ko(m)-pan-yuh | countryside |
| le canal | luh kannal | canal |
| le canapé | luh kannapai | sofa |
| les canards (m) | lai kannar | ducks |
| le canari | luh kannaree | canary |
| les canetons (m) | lai kan-to(n) | ducklings |
| le canif | luh kanneef | pocketknife |
| la canne | la kann | walking stick |
| la canne à pêche | la kann a pesh | fishing rod |
| le canot à moteur | luh kannoh a moh-tuhr | motorboat |
| le capot | luk kappoh | hood (of a car) |
| la caravane | la karavan | camper |
| la carotte | la karot | carrot |
| le carré | luh karrai | square |
| les carreaux (m) | lai karroh | tiles |
| la carte | la kart | map |
| la carte d'anniversaire | la kart dannee-vair-sair | birthday card |
| les cartes (f) | lai kart | cards |
| les cartes à jouer (f) | lai kart a joo-ay | playing cards |
| la cascade | la kass-kad | waterfall |
| le casier | luh cazyai | locker |
| le casque | luh kask | helmet |
| la casquette | la kass-kett | cap |
| casser | kassai | to break |
| les casseroles (f) | lai kass-rol | saucepans |
| le castor | luh kass-tor | beaver |
| la ceinture | la sa(n)tewr | belt |
| le céleri | luh sell-ree | celery |
| le cerceau | luh sair-soh | hoop |
| le cercle | luh sairkl | circle |
| les céréales (f) | lai sai-rai-al | cereal |
| le cerf | luh sair | deer |
| le cerf-volant | luh sair vollo(n) | kite |
| la cerise | la suh-reez | cherry |
| la chaise | la shaiz | chair |
| la chambre | la sho(m)br | bedroom |
| le champ | luh sho(m) | field |
| le champignon | luh sho(m)peen-yo(n) | mushroom |
| chanter | sho(n)tai | to sing |
| le chanteur | luh sho(n)-tuhr | singer (man) |
| la chanteuse | la sho(n)-tuhz | singer (woman) |
| le chapeau | luh shappoh | hat |
| le chapeau de paille | luh shappoh duh pie | straw hat |
| la chargeuse | la shar-juhz | bulldozer (loader) |
| le chariot | luh sharee-oh | grocery cart |
| la charrette | la sharrett | cart |
| la charrue | la sharrew | plow |

| le chat | *luh sha* | cat |
|---|---|---|
| le château de sable | *luh shattoh duh sabl* | sandcastle |
| le château fort | *luh shattoh for* | castle |
| le chaton | *luh shatto(n)* | kitten |
| chaud | *shoh* | hot |
| le chauffeur de camion | *luh shoffuhr duh kam-yo(n)* | truck driver |
| les chaussettes (f) | *lai shossett* | socks |
| les chaussons (m) | *lai shosso(n)* | slippers |
| les chaussures (f) | *lai shossewr* | shoes |
| la chauve-souris | *la shohv-sooree* | bat (animal) |
| le chemin | *luh shuh-ma(n)* | path |
| la cheminée | *la shuh-meenai* | chimney |
| la chemise | *la shuh-meez* | shirt |
| la chemise de nuit | *la shuh-meez duh nwee* | nightgown |
| la chenille | *la shuh-neey* | caterpillar |
| le cheval | *luh shuh-val* | horse |
| le cheval à bascule | *luh shuh-val a baskewl* | rocking horse |
| les cheveux (m) | *lai shuh-vuh* | hair |
| la chèvre | *la shaivr* | goat |
| le chien | *luh shee-a(n)* | dog |
| le chien de berger | *luh shee-a(n) duh bair-jai* | sheepdog |
| le chiffon | *luh shee-fo(n)* | dust cloth |
| le chiot | *luh shee-oh* | puppy |
| les chips (f) | *lai sheeps* | chips |
| le chocolat | *luh shokola* | chocolate |
| le chocolat chaud | *luh shokola shoh* | hot chocolate |
| le chou | *luh shoo* | cabbage |
| le chou-fleur | *luh shoo-fluhr* | cauliflower |
| la cible | *la seebl* | target |
| le ciel | *luh s'yell* | sky |
| le cinéma | *luh seenaima* | movie theater |
| cinq | *sank* | five |
| le cirque | *luh seerk* | circus |
| les ciseaux (m) | *lai seezoh* | scissors |
| le citron | *luh seetro(n)* | lemon |
| la citrouille | *la seetrooy* | pumpkin |
| clair | *klair* | light (not dark) |
| la clé | *la klai* | key |
| la clef | *la klai* | key, wrench |
| la clémentine | *la klemmo(n)-teen* | tangerine |
| la clôture | *la kloh-tewr* | fence |
| les clous (m) | *lai kloo* | nails |
| le clown | *luh kloon* | clown |
| la coccinelle | *la kok-see-nell* | ladybug |
| le cochon d'Inde | *luh ko-sho(n) da(n)d* | guinea pig |
| les cochons (m) | *lai ko-sho(n)* | pigs |
| le coffre | *luh kofr* | trunk (of a car) |
| le coiffeur | *luh kwa-fuhr* | barber |
| le collant | *luh kollo(n)* | tights |
| la colle | *la kol* | glue |
| le collier | *luh kol-yai* | necklace |
| la colline | *la kolleen* | hill |
| la commode | *la komod* | chest of drawers |
| les comprimés (m) | *lai ko(m)pree-mai* | pills |
| le concombre | *luh ko(n)-ko(m)br* | cucumber |
| le conducteur d'autobus | *luh ko(n)-dewk-tuhr doh-toh-bewss* | bus driver |
| le cône | *luh konn* | cone |
| la confiture | *la ko(n)fee-tewr* | jam |
| les contraires (m) | *lai ko(n)trair* | opposites |
| la contrôleuse | *la ko(n)troh-luhz* | conductor (woman) |
| les copeaux (m) | *lai koppoh* | (wood) shavings |
| le coq | *luh kok* | rooster |
| le coquillage | *luh kokee-yaj* | shell |
| la corbeille à papier | *la kor-bay a papyai* | wastepaper basket |
| la corde | *la kord* | rope |
| la corde à sauter | *la kord a sohtai* | skipping rope |
| les cornes (f) | *lai korn* | horns |
| le coton | *luh ko-to(n)* | cotton |
| le cou | *luh koo* | neck |
| la couche | *la koosh* | diaper |
| le coude | *luh kood* | elbow |
| coudre | *koodr* | to sew |
| la couette | *la k'wett* | comforter |
| les couleurs (f) | *lai koo-luhr* | colors |
| couper | *koo-pai* | to cut, to chop |
| la cour de récréation | *la koor duh rekrai-ass-yo(n)* | playground |
| courir | *kooreer* | to run |
| la course | *la koorss* | race |
| court | *koor* | short |
| le cousin | *luh kooza(n)* | cousin (boy) |
| la cousine | *la koozeen* | cousin (girl) |
| le coussin | *luh koo-sa(n)* | cushion |
| les couteaux (m) | *lai koo-toh* | knives |
| le crabe | *luh krab* | crab |
| la craie | *la krai* | chalk |
| le crapaud | *luh kra-poh* | toad |
| la cravate | *la kra-vatt* | tie |
| le crayon | *luh krai-yo(n)* | pencil |
| les crayons cire (m) | *lai krai-yo(n) seer* | crayons |
| la crème | *la krem* | cream |
| les crêpes (f) | *lai krep* | pancakes |
| creuser | *kruh-zai* | to dig |
| le cricket | *luh kree-ket* | cricket (sport) |
| le crocodile | *luh kro-ko-deel* | crocodile |
| le croissant | *luh krwa-so(n)* | crescent |
| le cube | *luh kewb* | cube |
| les cubes (m) | *lai kewb* | blocks |
| cueillir | *kuh-yeer* | to pick |
| les cuillères en bois (f) | *lai kwee-yair o(n) bwa* | wooden spoons |
| la cuisine | *la kwee-zeen* | kitchen |
| le cuisinier | *le kwee-zeen-yai* | cook |
| la cuisinière | *la kwee-zeen-yair* | stove |
| le cyclisme | *luh see-kleessm* | cycling |
| le cycliste acrobate | *luh/la see-kleest akro-bat* | unicyclist |
| les cygnes (m) | *lai seen-yuh* | swans |

**D**

| la dame | *la dam* | woman, lady |
|---|---|---|
| la danse | *la do(n)ss* | dance |
| danser | *do(n)sai* | to dance |
| le danseur | *luh do(n)-suhr* | dancer (man) |
| la danseuse | *la do(n)-suhz* | dancer (woman) |
| le dauphin | *luh doh-fa(n)* | dolphin |
| dedans | *duhdo(n)* | inside |
| les déguisements (m) | *lai dai-guee-zuh-mo(n)* | costumes |
| dehors | *duh-or* | outside |
| le déjeuner | *dai-juh-nai* | lunch |
| le deltaplane | *luh delta-plan* | hang gliding |
| la demoiselle d'honneur | *la duh-mwa-zel do-nuhr* | bridesmaid |
| le dentifrice | *luh do(n)tee-freess* | toothpaste |
| la dentiste | *la do(n)teest* | dentist (woman) |
| les dents (f) | *lai do(n)* | teeth |

| French | Pronunciation | English |
|--------|---------------|---------|
| la dépanneuse | *la depannuhz* | tow truck |
| le déplantoir | *luh deplo(n)-twar* | trowel |
| dernier | *dairn-yai* | last |
| derrière | *dair-yair* | behind |
| le derrière | *luh dair-yair* | bottom (of body) |
| les dés (m) | *lai dai* | dice |
| la descente de lit | *la desso(n)t duh lee* | rug |
| les desserts (m) | *lai dessair* | dessert |
| le dessin | *luh dessa(n)* | drawing |
| deux | *duh* | two |
| devant | *duhvo(n)* | front |
| difficile | *dee-fee-seel* | difficult |
| dimanche (m) | *dee-mo(n)sh* | Sunday |
| les dindons (m) | *lai da(n)-do(n)* | turkeys |
| le dîner | *luh deenai* | dinner (evening meal) |
| dix | *deess* | ten |
| dix-huit | *deez-weet* | eighteen |
| dix-neuf | *deez-nuhf* | nineteen |
| dix-sept | *deessett* | seventeen |
| le docteur | *luh doktuhr* | doctor |
| les doigts (m) | *lai dwa* | fingers |
| les doigts de pied (m) | *lai dwa duh p'yai* | toes |
| dormir | *dor-meer* | to sleep |
| le dos | *luh doh* | back (of body) |
| la douche | *la doosh* | shower |
| douze | *dooz* | twelve |
| le drap | *luh dra* | sheet |
| le drapeau | *luh drappoh* | flag |
| le dresseur | *luh dress-uhr* | ring master |
| à droite | *a drwat* | (on/to the) right |
| le dromadaire | *luh dromma-dair* | camel |
| dur | *dewr* | hard |
| le DVD | *luh dayvayday* | DVD |

**E**

| French | Pronunciation | English |
|--------|---------------|---------|
| l'eau (f) | *loh* | water |
| l'écharpe (f) | *laisharp* | scarf |
| l'échelle (f) | *laishell* | ladder |
| l'échelle de corde (f) | *laishell duh kord* | rope ladder |
| l'éclair (m) | *lai-klair* | lightning |
| l'écluse (f) | *lai-klewz* | lock (on canal) |
| l'école (f) | *lai-koll* | school |
| écouter | *aikootai* | to listen |
| l'écran solaire (m) | *lai-kro(n) solair* | sunscreen |
| écrire | *aikreer* | to write |
| les écrous (m) | *laiz aikroo* | nuts (workshop) |
| l'écureuil (m) | *laikew-ruh-y* | squirrel |
| l'écurie (f) | *laikew-ree* | stable |
| l'écuyère (f) | *laikweeyair* | (bareback) rider (woman) |
| l'éléphant (m) | *lailaifo(n)* | elephant |
| en bas | *o(n) ba* | downstairs |
| les enfants (m/f) | *laiz o(n)fo(n)* | children |
| en haut | *o(n) oh* | upstairs |
| l'entrée (f) | *lo(n)trai* | hall |
| l'éolienne (f) | *lai-ol-yen* | windmill |
| les épaules (f) | *laiz ai-pohl* | shoulders |
| les épinards (m) | *laiz aipeenar* | spinach |
| l'éponge (f) | *laipo(n)j* | sponge |
| l'épouvantail (m) | *laipoo-vo(n)-tie* | scarecrow |
| l'équipage (m) | *laikeepaj* | cabin crew |
| l'équitation (f) | *laikeetass-yo(n)* | riding |
| l'escalade (f) | *leska-lad* | climbing |
| l'escalier (m) | *leskal-yai* | stairs, staircase |
| l'escargot (m) | *leskar-goh* | snail |

| French | Pronunciation | English |
|--------|---------------|---------|
| l'espace (m) | *lespass* | space |
| l'essence (f) | *lesso(n)ss* | gas |
| l'étable (f) | *laita-bl* | cowshed |
| l'établi (m) | *laita-blee* | workbench |
| l'étau (m) | *laittoh* | vise |
| l'été (m) | *laittai* | summer |
| l'étoile (f) | *laitwal* | star |
| l'étoile de mer (f) | *laitwal duh mair* | starfish |
| être assis | *aitr assee* | to sit |
| l'évier (m) | *laiv-yai* | sink |

**F**

| French | Pronunciation | English |
|--------|---------------|---------|
| facile | *fa-seel* | easy |
| le facteur | *luh faktuhr* | mail carrier |
| faire | *fair* | to make |
| faire la cuisine | *fair la kwee-zeen* | to cook |
| la falaise | *la falaiz* | cliff |
| la famille | *la fa-meey* | family |
| la farine | *la fa-reen* | flour |
| le fauteuil roulant | *luh fohtuh-y roolo(n)* | wheelchair |
| la femme | *la fam* | woman, wife |
| la fenêtre | *la fuh-naitr* | window |
| le fer à repasser | *luh fair a ruhpassai* | iron |
| la ferme | *la fairm* | farm, farmhouse |
| fermé | *fairmai* | closed |
| la fermeture éclair | *la fairmuh-tewr aiclair* | zipper |
| le fermier | *luh fairm-yai* | farmer |
| la fête | *la fett* | party |
| la fête foraine | *la fett forenn* | amusement park |
| le feu | *luh fuh* | fire |
| le feu de signalisation | *luh fuh duh seen-ya-lee-zasseeo(n)* | traffic light, railway signal |
| les feuilles (f) | *lai fuh-yuh* | leaves |
| les feutres (m) | *lai fuh-tr* | felt-tip pens |
| les feux d'artifice (m) | *lai fuh dartee-feess* | fireworks |
| les feux de signalisation (m) | *lai fuh duh seen-ya-lee-zasseeo(n)* | traffic lights, railway signals |
| la ficelle | *la fee-sell* | string |
| la figure | *la fee-gewr* | face |
| le fil | *luh feel* | wire, tightrope |
| le filet | *luh fee-lai* | net |
| la fille | *la fee-yuh* | girl, daughter |
| le fils | *luh feess* | son |
| la flaque d'eau | *la flak doh* | puddle |
| les flèches (f) | *lai flesh* | arrows |
| les fleurs (f) | *lai fluhr* | flowers |
| la flûte | *la flewt* | flute |
| le foin | *luh fwa(n)* | hay |
| le football | *luh foot-bol* | soccer |
| le football américain | *luh foot-bol a-maireeka(n)* | football |
| la forêt | *la forrai* | forest |
| les formes (f) | *lai form* | shapes |
| la fourche | *la foorsh* | garden fork |
| les fourchettes (f) | *lai foorshett* | forks |
| la fraise | *la fraiz* | strawberry |
| la framboise | *la fro(m)-bwaz* | raspberry |
| le frère | *luh frair* | brother |
| les frites (f) | *lai freet* | French fries |
| froid | *frwa* | cold |
| le fromage | *luh frommaj* | cheese |
| les fruits (m) | *lai frwee* | fruit |
| la fumée | *la few-mai* | smoke |
| le funambule | *luh few-no(m)-bewl* | tightrope walker |
| la fusée | *la few-zai* | rocket |

## G

| French | Pronunciation | English |
|---|---|---|
| les galets (m) | *lai gallai* | pebbles |
| les gants (m) | *lai go(n)* | gloves |
| le garage | *luh garaj* | garage |
| le garçon | *luh gar-so(n)* | boy |
| la gare | *la gar* | station |
| le gâteau | *luh gattoh* | cake |
| le gâteau d'anniversaire | *luh gattoh dannee-vair-sair* | birthday cake |
| à gauche | *a gohsh* | (on/to the) left |
| le genou | *luh juh-noo* | knee |
| les gens (m/f) | *lai jo(n)* | people |
| le gilet | *luh jee-lai* | cardigan |
| la girafe | *la jee-raf* | giraffe |
| le givre | *luh jeevr* | frost |
| la glace | *la glass* | ice cream |
| le globe | *luh glob* | globe |
| la gomme | *la gom* | eraser |
| le gorille | *luh goreey* | gorilla |
| les graines (f) | *lai grenn* | seeds |
| grand | *gro(n)* | big |
| la grand-mère | *la gro(n)-mair* | grandmother |
| le grand-père | *luh gro(n)-pair* | grandfather |
| la grande roue | *la gro(n)d roo* | Ferris wheel |
| le grenier | *luh gruhn-yai* | attic |
| la grenouille | *la gruh-nooy* | frog |
| grimper | *gra(m)pai* | to climb |
| gris | *gree* | gray |
| gros | *groh* | fat |
| la grue | *la grew* | crane |
| la guêpe | *la gep* | wasp |
| la guirlande | *la geer-lo(n)d* | paper chains |
| la guitare | *la geetarr* | guitar |
| la gymnastique | *la jeemnasteek* | gym |

## H

| French | Pronunciation | English |
|---|---|---|
| la hache | *la ash* | ax |
| la haie | *la ai* | hedge |
| le hamburger | *luh a(m)boor-guhr* | hamburger |
| le hamster | *luh am-stair* | hamster |
| le hangar | *luh o(n)gar* | barn |
| les haricots (m) | *laiz aree-koh* | beans |
| l'harmonica (m) | *larmoneeka* | harmonica |
| haut | *oh* | high |
| le haut | *luh oh* | top |
| le haut-de-forme | *luh oh duh form* | top hat |
| l'hélicoptère (m) | *lellee-koptair* | helicopter |
| l'herbe (f) | *lairb* | grass |
| le hérisson | *luh airee-so(n)* | hedgehog |
| le hibou | *luh eeboo* | owl |
| l'hippopotame (m) | *leepo-pottam* | hippopotamus |
| l'hiver (m) | *lee-vair* | winter |
| l'hôpital (m) | *loh-peetal* | hospital |
| l'hôtel (m) | *loh-tell* | hotel |
| l'huile (f) | *lweel* | oil |
| huit | *weet* | eight |

## I

| French | Pronunciation | English |
|---|---|---|
| l'iceberg (m) | *leesbairg* | iceberg |
| l'île (f) | *leel* | island |
| l'immeuble (m) | *lee-muhbl* | apartment building |
| l'infirmier (m) | *la(n)feerm-yai* | nurse (man) |
| l'institutrice (f) | *la(n)stee-tew-treess* | teacher (woman) |
| l'interrupteur (m) | *la(n)terrewp-tuhr* | switch |
| les invités (m) | *laiz a(n)veetai* | guests |

## J

| French | Pronunciation | English |
|---|---|---|
| la jambe | *la jo(m)b* | leg |
| le jambon | *luh jo(m)bo(n)* | ham |
| le jardin | *luh jarda(n)* | yard |
| le jardin public | *luh jarda(n) pewbleek* | park |
| jaune | *joan* | yellow |
| le jean | *luh djeen* | jeans |
| jeudi (m) | *juhdee* | Thursday |
| le jogging | *luh djogeeng* | jogging |
| le jongleur | *luh jo(n)gluhr* | juggler (man) |
| la jongleuse | *la jo(n)gluhz* | juggler (woman) |
| la joue | *la joo* | cheek |
| jouer | *joo-ai* | to play |
| les jouets (m) | *lai joo-ai* | toys |
| le jour du mariage | *luh joor dew marree-aj* | wedding day |
| le journal | *luh joor-nal* | newspaper |
| les jours (m) | *lai joor* | days |
| les jours de fête (m) | *lai joor duh fet* | special days |
| le judo | *luh jew-doh* | judo |
| le juge | *luh jewj* | judge |
| la jupe | *la jewp* | skirt |
| le jus de fruits | *luh jew duh frwee* | fruit juice |

## K

| French | Pronunciation | English |
|---|---|---|
| le kangourou | *luh ko(n)-gooroo* | kangaroo |
| le karaté | *luh karatai* | karate |
| le kayak | *luh kayak* | kayak |
| le ketchup | *luh ketchup* | ketchup |

## L

| French | Pronunciation | English |
|---|---|---|
| le lac | *luh lak* | lake |
| le lacet | *luh lassai* | shoelace |
| la laisse | *la less* | leash |
| le lait | *luh lai* | milk |
| la laitue | *la laitew* | lettuce |
| le lampadaire | *luh lo(m)pa-dair* | street light |
| la lampe | *la lo(m)p* | light |
| lancer | *lo(n)sai* | to throw |
| le landau | *luh lo(n)doh* | baby buggy |
| la langue | *la lo(n)g* | tongue |
| le lapin | *luh la-pa(n)* | rabbit |
| le lavabo | *luh lava-boh* | sink |
| le lavage-auto | *luh lavaj-otoh* | car wash |
| le lave-linge | *luh lav-la(n)j* | washing machine |
| se laver | *suh la-vai* | to wash |
| les légumes (m) | *lai laigewm* | vegetables |
| lent | *lo(n)* | slow |
| le léopard | *luh lai-oh-par* | leopard |
| les lettres (f) | *lai letr* | letters |
| les lèvres (f) | *lai levr* | lips |
| le lézard | *luh laizar* | lizard |
| la lime | *la leem* | file |
| le lion | *luh lee-o(n)* | lion |
| les lionceaux (m) | *lai lee-o(n)soh* | lion cubs |
| lire | *leer* | to read |
| le lit | *luh lee* | bed |
| les livres (m) | *lai leevr* | books |
| la locomotive | *la loko-moteev* | engine (train) |
| loin | *lwa(n)* | far |
| long | *lo(n)* | long |
| le losange | *luh lo-zo(n)j* | diamond |
| le loup | *luh loo* | wolf |
| lundi (m) | *lu(n)dee* | Monday |
| la lune | *la lewn* | moon |
| les lunettes (f) | *lai lewnett* | glasses (to wear) |

## M

| | | |
|---|---|---|
| le magasin | *luh magga-za(n)* | store |
| le magasin de jouets | *luh magga-za(n) duh joo-ai* | toyshop |
| maigre | *maigr* | thin |
| le maillot de bain | *luh mah-yo duh ba(n)* | swimsuit |
| le maillot de corps | *luh mah-yo duh kor* | undershirt |
| la main | *la ma(n)* | hand |
| la maison | *la mai-zo(n)* | house |
| la maison de poupée | *la mai-zo(n) duh poopai* | dollhouse |
| mal | *mal* | bad |
| le manchot | *luh mo(n)-shoh* | penguin |
| le manège | *luh man-aij* | carousel |
| manger | *mo(n)jai* | to eat |
| le manteau | *luh mo(n)toh* | coat |
| le marché | *luh mar-shai* | market |
| marcher | *mar-shai* | to walk |
| les marches (f) | *lai ma-rsh* | steps |
| mardi (m) | *mar-dee* | Tuesday |
| la mare | *la mar* | pond |
| le mari | *luh maree* | husband |
| le marié | *luh maree-ai* | bridegroom |
| la mariée | *la maree-ai* | bride |
| le marin | *luh ma-ra(n)* | sailor |
| les marionnettes (f) | *lai maree-onett* | puppets |
| marron | *ma-ro(n)* | brown |
| le marteau | *luh martoh* | hammer |
| le marteau piqueur | *luh martoh pee-kuhr* | (road) drill |
| les masques (m) | *lai massk* | masks |
| le matin | *luh ma-ta(n)* | morning |
| le mécanicien | *luh mekka-nees-ya(n)* | mechanic, engineer (man) |
| la mécanicienne | *la mekka-nees-yen* | mechanic, engineer (woman) |
| le médicament | *luh meddee-kahmo(n)* | medicine |
| le melon | *luh muhlo(n)* | melon |
| le menton | *luh mo(n)to(n)* | chin |
| le menuisier | *luh muhn-weez-yai* | carpenter |
| la mer | *la mair* | sea |
| mercredi (m) | *mair-kruh-dee* | Wednesday |
| la mère | *la mair* | mother |
| le mètre | *luh maitr* | tape measure |
| la meule de foin | *la muhl duh fwa(n)* | haystack |
| le miel | *luh m'yell* | honey |
| le miroir | *luh meer-wahr* | mirror |
| moi | *mwa* | me |
| le monsieur | *luh muhss-yuh* | man |
| la montagne | *la mo(n)-tan-yuh* | mountain |
| les montagnes russes (f) | *lai mo(n)-tan-yuh rewss* | rollercoaster |
| la montgolfière | *la mo(n)golf-yair* | hot-air balloon |
| la montre | *la mo(n)tr* | watch |
| la moquette | *la mo-kett* | carpet |
| les morceaux de bois (m) | *lai mor-soh duh bwa* | wood |
| mort | *mor* | dead |
| le moteur | *luh moh-tuhr* | engine |
| la moto | *la mohtoh* | motorcycle |
| mou | *moo* | soft |
| la mouche | *la moosh* | fly |
| le mouchoir | *luh moosh-wahr* | handkerchief |
| les mouchoirs en papier (m) | *lai moosh-wahr o(n) pap-yai* | tissues |
| la mouette | *la moo-ett* | seagull |
| mouillé | *moo-yai* | wet |
| les moutons (m) | *lai moo-to(n)* | sheep |
| le mur | *luh mewr* | wall |

## N

| | | |
|---|---|---|
| la nappe | *la nap* | tablecloth |
| la natation | *la na-tass-yo(n)* | swimming |
| le navire | *luh na-veer* | ship |
| la neige | *la naij* | snow |
| neuf | *nuhf* | new, nine |
| le nez | *luh nai* | nose |
| la niche | *la neesh* | kennel |
| le nid | *luh nee* | nest |
| Noël (m) | *no-ell* | Christmas |
| le nœud papillon | *luh nuh papee-yo(n)* | bow tie |
| noir | *nwar* | black |
| les nombres (m) | *lai no(m)br* | numbers |
| la nourriture | *la nooree-tewr* | food |
| les nuages (m) | *lai new-aj* | clouds |
| la nuit | *la nwee* | night |

## O

| | | |
|---|---|---|
| l'œil (m) | *leuh-y* | eye |
| l'œuf à la coque (m) | *luhf alla kok* | boiled egg |
| l'œuf au plat (m) | *luhf oh pla* | fried egg |
| les œufs (m) | *laiz uhf* | eggs |
| les oies (f) | *laiz wa* | geese |
| l'oignon (m) | *lonn-yo(n)* | onion |
| les oiseaux (m) | *laiz wazoh* | birds |
| l'omelette (f) | *lom-let* | omelette |
| l'oncle (m) | *lo(n)kl* | uncle |
| onze | *o(n)z* | eleven |
| orange | *oro(n)j* | orange (color) |
| l'orange (f) | *loro(n)j* | orange (fruit) |
| l'orchestre (m) | *lor-kestr* | orchestra, band |
| l'ordinateur (m) | *lordeena-tuhr* | computer |
| les ordures (f) | *laiz ordewr* | trash |
| l'oreiller (m) | *lorai-yai* | pillow |
| les oreilles (f) | *laiz oray* | ears |
| l'os (m) | *loss* | bone |
| l'ours (m) | *loorss* | bear |
| l'ours blanc (m) | *loorss blo(n)* | polar bear |
| l'ours en peluche (m) | *loorss o(n) p'lewsh* | teddy bear |
| ouvert | *oovair* | open |
| l'ovale (m) | *lo-val* | oval |

## P

| | | |
|---|---|---|
| la pagaie | *la paggai* | paddle |
| le paillasson | *luh pie-a-so(n)* | mat |
| la paille | *la pie* | straw |
| le pain | *luh pa(n)* | bread |
| le pain grillé | *luh pa(n) gree-yai* | toast |
| la palissade | *la pallee-sad* | fence |
| les palmes (f) | *lai palm* | flippers |
| le pamplemousse | *luh po(m)pl-mooss* | grapefruit |
| le panda | *luh po(n)-da* | panda |
| le panier | *luh pan-yai* | basket |
| le pansement | *luh po(n)s-mo(n)* | adhesive bandage |
| le pantalon | *luh po(n)-ta-lo(n)* | pants |
| le papier | *luh pap-yai* | paper |
| le papier de verre | *luh pap-yai duh vair* | sandpaper |
| le papier hygiénique | *luh pap-yai ee-jyeneek* | toilet paper |
| le papillon | *luh pa-pee-yo(n)* | butterfly |

61

| French | Pronunciation | English |
|---|---|---|
| le papillon de nuit | luh pa-pee-yo(n) duh nwee | moth |
| le paquet de lessive | luh pa-kai duh lesseev | laundry detergent |
| le parachute | luh pa-ra-shewt | parachute |
| le parapluie | luh pa-ra-plwee | umbrella |
| le parasol | luh pa-ra-sol | beach umbrella |
| parler | pa-rlai | to talk |
| le passage pour piétons | luh pa-saj poor p'yai-to(n) | crosswalk |
| le patinage | luh pa-tee-nahj | ice skating |
| les patins à glace (m) | lai pa-ta(n) a glas | ice skates |
| les pattes (f) | lai patt | paws |
| la pêche | la pesh | fishing, peach |
| le pêcheur | luh pesh-uhr | fisherman |
| le peigne | luh penn-yuh | comb |
| peindre | pa(n)dr | to paint |
| le peintre | luh pa(n)tr | painter |
| le pélican | luh pelleeko(n) | pelican |
| la pelle | la pell | shovel |
| la pelle à ordures | la pell a ordewr | dustpan |
| la pendule | la po(n)dewl | clock |
| la péniche | la penneesh | barge |
| penser | po(n)sai | to think |
| la perceuse | la pair-suhz | drill |
| la perche | la pairsh | pole |
| le père | luh pair | father |
| le père Noël | luh pair no-ell | Santa Claus |
| les perles (f) | lai pairl | beads |
| le perroquet | luh perrokai | parrot |
| la perruche | la perrewsh | parakeet |
| petit | puh-tee | small |
| le petit déjeuner | luh puh-tee dai-juh-nai | breakfast |
| les petites cuillères (f) | lai puh-teet kwee-yair | teaspoons |
| les petits cochons (m) | lai puh-tee kosho(n) | piglets |
| les petits pains (m) | lai puh-tee pa(n) | bread rolls |
| les petits pois (m) | lai puh-tee pwa | peas |
| le pétrolier | luh petrol-yai | oil tanker (ship) |
| peu | puh | few |
| le phare | luh fahr | lighthouse |
| les phares (m) | lai fahr | headlights |
| le phoque | luh fok | seal |
| les photos (f) | lai fotoh | photographs |
| le photographe | luh/la fotoh-graf | photographer |
| le piano | luh pee-anno | piano |
| le pied | luh p'yai | foot |
| les pierres (f) | lai p'yair | stones |
| le pigeon | luh pee-jo(n) | pigeon |
| le pilote | luh pee-lot | pilot |
| le pinceau | luh pa(n)-soh | paintbrush |
| le pique-nique | luh peek-neek | picnic |
| la piscine | la pee-seen | swimming pool |
| la piste | la peest | runway |
| la pizza | la peetza | pizza |
| le placard | luh pla-kahr | closet |
| le plafond | luh pla-fo(n) | ceiling |
| la plage | la plaj | beach |
| la planche | la plo(n)sh | board |
| la planche à repasser | la plo(n)sh a ruh-passai | ironing board |
| la planche à roulettes | la plo(n)sh a roollett | skateboard |
| la planche à voile | la plo(n)sh a vwal | windsurfing |
| le plancher | luh plo(n)shai | floor |
| la planète | la pla-nett | planet |
| la plante | la plo(n)t | plant |
| le plateau | luh pla-toh | tray |
| la plate-bande | la platt-bo(n)d | flower bed |
| le plâtre | luh platr | cast |
| plein | pla(n) | full |
| pleurer | pluh-rai | to cry |
| le plongeon | luh plo(n)-jo(n) | diving |
| le plongeur | luh plo(n)-juhr | diver |
| la pluie | la plwee | rain |
| les plumes (f) | lai plewm | feathers |
| le pneu | luh p'nuh | tire |
| les poches (f) | lai posh | pockets |
| la poêle | la pwal | frying pan |
| la poignée | la pwan-yai | door handle |
| la poire | la pwar | pear |
| le poireau | luh pwa-ro | leek |
| le poisson | luh pwa-so(n) | fish |
| les poissons rouges (m) | lai pwa-so(n) rooj | goldfish |
| la poitrine | la pwa-treen | chest (body) |
| le poivre | luh pwavr | pepper |
| la pomme | la pom | apple |
| les pommes de terre (f) | lai pom duh tair | potatoes |
| la pompe à essence | la po(m)p a esso(n)ss | gas pump |
| le pompier | luh po(m)p'yai | firefighter |
| le poney | luh ponai | pony |
| le pont | luh po(n) | bridge |
| le pop-corn | luh pop-korn | popcorn |
| la porcherie | la por-shuh-ree | pigsty |
| la porte | la port | door |
| le portemanteau | luh port-mo(n)toh | coat rack |
| le porte-monnaie | luh port monnai | coin purse |
| porter | portai | to carry |
| les posters (m) | lai poss-tair | posters |
| le pot de peinture | luh po duh pa(n)tewr | paint can |
| le poteau indicateur | luh po-toh a(n)deeka-tuhr | signpost |
| les pots (m) | lai po | jars |
| la poubelle | la poobell | trash can |
| le pouce | luh pooss | thumb |
| le poulailler | luh poo-lie-yai | hen house |
| les poules (f) | lai pool | hens |
| le poulet | luh poolai | chicken |
| les poupées (f) | lai poo-pai | dolls |
| pousser | poossai | to push |
| la poussette | la poossett | stroller |
| les poussins (m) | lai poossa(n) | chicks |
| premier | pruhm-yai | first |
| prendre | pro(n)dr | to take |
| près | prai | near |
| le printemps | luh pra(n)-to(m) | spring (season) |
| propre | propr | clean |
| la prune | la prewn | plum |
| le pull-over | luh pewllo-vair | sweater |
| les punaises (f) | lai pewnaiz | tacks |
| la purée | la pew-rai | mashed potatoes |
| le puzzle | luh puhzl | jigsaw puzzle |
| le pyjama | luh pee-jamma | pajamas |

## Q

| French | Pronunciation | English |
|---|---|---|
| le quai | luh kai | platform |
| quatorze | katorz | fourteen |
| quatre | katr | four |

| French | Pronunciation | English |
|--------|---------------|---------|
| la queue | la kuh | tail |
| quinze | ka(n)z | fifteen |

**R**

| French | Pronunciation | English |
|--------|---------------|---------|
| le rabot | luh ra-bo | (shaving) plane |
| le radiateur | luh radya-tuhr | radiator |
| la radio | la radyo | radio |
| les rails (m) | lai rye | railway track |
| le raisin | luh raiza(n) | grapes |
| la rame | la ram | oar |
| ramper | ro(m)pai | to crawl |
| rapide | rapeed | fast |
| la raquette | la rakett | racket |
| le râteau | luh ratto | rake |
| le rectangle | luh rek-to(n)gl | rectangle |
| le réfrigérateur | luh rai-free-jaira-tuhr | refrigerator |
| regarder | ruh-gardai | to watch, to look |
| la règle | la raigl | ruler |
| la remorque | la ruh-mork | trailer |
| le renard | luh ruh-nar | fox |
| les renardeaux (m) | lai ruh-nardoh | fox cubs |
| le renne | luh renn | reindeer |
| le requin | luh ruh-ka(n) | shark |
| le rhinocéros | luh reenno-saiross | rhinoceros |
| le rideau | luh reedoh | curtain |
| rire | reer | to laugh |
| la rivière | la reev-yair | river |
| le riz | luh ree | rice |
| la robe | la rob | dress |
| la robe de chambre | la rob duh sho(m)br | bathrobe |
| le robinet | luh robbee-nai | tap |
| le robot | luh robboh | robot |
| les rochers (m) | lai ro-shai | rocks |
| les rollers (m) | lai rollair | roller blades |
| les rondins (m) | lai ro(n)da(n) | logs |
| rose | roz | pink |
| la rosée | la ro-zai | dew |
| la roue | la roo | wheel |
| rouge | rooj | red |
| le rouleau compresseur | luh roo-loh ko(m)press-uhr | steamroller |
| la route | la root | road |
| le ruban | luh rewbo(n) | ribbon |
| la ruche | la rewsh | beehive |
| la rue | la rew | street |
| le rugby | luh rewg-bee | rugby |
| le ruisseau | luh rwee-soh | stream |

**S**

| French | Pronunciation | English |
|--------|---------------|---------|
| le sac | luh sak | bag, grocery sack |
| le sac à dos | luh sak a doh | backpack |
| le sac à main | luh sak a ma(n) | purse |
| les saisons (f) | lai saizo(n) | seasons |
| la salade | la saladd | salad |
| sale | sal | dirty |
| la salle d'attente | la sal da-to(n)t | waiting room |
| la salle de bains | la sal duh ba(n) | bathroom |
| le salon | luh sa-lo(n) | living room |
| samedi (m) | sam-dee | Saturday |
| les sandales (f) | lai so(n)-dal | sandals |
| le sandwich | luh so(n)d-weech | sandwich |
| le sapin de Noël | luh sa-pa(n) duh no-ell | Christmas tree |
| la saucisse | la soh-seess | sausage |
| le saucisson | luh soh-see-so(n) | salami |
| sauter | soh-tai | to jump |

| French | Pronunciation | English |
|--------|---------------|---------|
| sauter à la corde | soh-tai alla kord | to skip |
| le savon | luh sah-vo(n) | soap |
| la scie | la see | saw |
| la sciure | la see-ewr | sawdust |
| le seau | luh soh | bucket |
| sec | sek | dry |
| seize | saiz | sixteen |
| le sel | luh sell | salt |
| la selle | la sell | saddle |
| sept | sett | seven |
| la seringue | la suh-ra(n)g | syringe |
| le serpent | luh sair-po(n) | snake |
| la serre | la sair | greenhouse |
| le serveur | luh sair-vuhr | waiter |
| la serveuse | la sair-vuhz | waitress |
| la serviette | la sair-vyet | towel |
| le short | luh short | shorts |
| le sifflet | luh see-flai | whistle |
| le singe | luh sa(n)j | monkey |
| six | seess | six |
| le ski | luh skee | skiing |
| le ski nautique | luh skee nohteek | water skiing |
| les skis (m) | lai skee | skis |
| le slip | luh sleep | underpants |
| la sœur | la suhr | sister |
| le soir | luh swar | evening |
| les soldats de plomb (m) | lai sol-da duh plo(m) | toy soldiers |
| le soleil | luh so-lay | sun |
| sombre | so(m)br | dark |
| les soucoupes (f) | lai soo-koop | saucers |
| souffler | soo-flai | to blow |
| la soupe | la soop | soup |
| le sourcil | luh soor-see | eyebrow |
| sourire | sooreer | to smile |
| la souris | la soo-ree | mouse |
| sous | soo | under |
| le sous-marin | luh soo-ma-ra(n) | submarine |
| les spaghetti (m) | lai spagettee | spaghetti |
| les sports (m) | lai spor | sport |
| la statue | la statew | statue |
| le store | luh stor | (window) blind |
| le stylo plume | luh stee-lo plewm | fountain pen |
| le sucre | luh sewkr | sugar |
| le sumo | luh sewmo | sumo wrestling |
| sur | sewr | on, over |
| le surf de neige | luh suhrf duh naij | snowboarding |
| le sweat-shirt | luh sweat-shirt | sweatshirt |

**T**

| French | Pronunciation | English |
|--------|---------------|---------|
| la table | la tabl | table |
| le tableau | luh tabloh | board (classroom) |
| le tableau noir | luh tabloh nwar | blackboard |
| le tablier | luh tablee-ai | apron |
| le tabouret | luh taboo-rai | stool |
| les tambours (m) | lai to(m)-boor | drums |
| les tampons (m) | lai to(m)-po(n) | buffers |
| la tante | la to(n)t | aunt |
| les tasses (f) | lai tass | cups |
| la taupe | la tohp | mole |
| le taureau | luh toh-roh | bull |
| le taxi | luh ta-xee | taxi |
| le tee-shirt | luh tee-shirt | T-shirt |
| le téléphone | luh tai-lai-fon | telephone |
| le télescope | luh tai-lai-skop | telescope |
| le télésiège | luh tai-lai-syaij | chairlift |
| la télévision | la tai-lai-veez-yo(n) | television |

| French | Pronunciation | English |
|---|---|---|
| le temps | luh to(m) | weather |
| le tennis | luh tenneess | tennis |
| les tennis (f) | lai tenneess | tennis shoes |
| le tennis de table | luh tenneess duh tabl | table tennis |
| les tentes (f) | lai to(n)t | tents |
| la terre | la tair | dirt |
| les têtards (m) | lai tai-tar | tadpoles |
| la tête | la tet | head |
| le thé | luh tai | tea |
| la théière | la tai-air | teapot |
| le thermomètre | luh tair-mo-metr | thermometer |
| le tigre | luh teegr | tiger |
| le tir à l'arc | luh teer a lark | archery |
| la tirelire | la teer-leer | (toy) bank |
| tirer | teerai | to pull |
| le tiroir | luh teerwar | drawer |
| le toboggan | luh to-bo-go(n) | slide |
| le toboggan géant | luh to-bo-go(n) jai-o(n) | slide (amusement park) |
| la toile d'araignée | la twall darenn-yai | cobweb |
| les toilettes (f) | lai twa-lett | toilet |
| le toit | luh twa | roof |
| la tomate | la tomatt | tomato |
| tomber | to(m)-bai | to fall |
| la tondeuse | la to(n)-duhz | lawn mower |
| le tonneau | luh tonnoh | barrel |
| le torchon | luh tor-shon | dish towel |
| la tortue | la tor-tew | tortoise |
| la tour de contrôle | la toor duh ko(n)trohl | control tower |
| le tournevis | luh toor-nuh-veess | screwdriver |
| le tourniquet | luh toor-neekai | sprinkler |
| le tracteur | luh trak-tuhr | tractor |
| le train | luh tra(n) | train |
| le train de marchandises | luh tra(n) duh mar-sho(n)-deez | freight train |
| le train électrique | luh tra(n) ellek-treek | train set |
| le train fantôme | luh tra(n) fo(n)tohm | amusement ride |
| le traîneau | luh trai-noh | sleigh |
| le transat | luh tro(n)-zat | beach chair |
| le trapèze | luh tra-pez | trapeze |
| treize | trez | thirteen |
| le triangle | luh tree-o(n)gl | triangle |
| tricoter | tree-kottai | to knit |
| le tricycle | luh tree-seekl | tricycle |
| trois | trwa | three |
| la trompe | la tro(m)p | trunk (elephant) |
| la trompette | la tro(m)-pet | trumpet |
| le trottoir | luh tro-twar | sidewalk |
| le trou | luh troo | hole |
| le tunnel | luh tew-nell | tunnel |
| le tuyau d'arrosage | luh twee-yoh darozaj | garden hose |
| les tuyaux (m) | lai twee-yoh | pipes |

**U**

| | | |
|---|---|---|
| un | u(n) | one |
| l'usine (f) | lew-zeen | factory |

**V**

| | | |
|---|---|---|
| les vacances (f) | lai va-ko(n)ss | vacation |
| la vache | la vash | cow |
| les vagues (f) | lai vag | waves |
| le vaisseau spatial | luh vaissoh spassee-al | spaceship |
| la valise | la valeez | suitcase |
| le veau | luh voh | calf |
| vendredi (m) | vo(n)-druh-dee | Friday |
| le vent | luh vo(n) | wind |
| le ventre | luh vo(n)tr | tummy |
| le ver de terre | luh vair duh tair | worm |
| le verger | luh vairjai | orchard |
| les verres (m) | lai vair | glasses (drinking) |
| vert | vair | green |
| le vestiaire | luh vest-yair | changing room |
| les vêtements (m) | lai vet-mo(n) | clothes |
| la vétérinaire | la vai-tairee-nair | vet (woman) |
| la viande | la vee-o(n)d | meat |
| vide | veed | empty |
| vieux | vyuh | old |
| le village | luh vee-laj | village, town |
| vingt | va(n) | twenty |
| violet | vee-olai | purple |
| les vis (f) | lai veess | screws |
| vivant | vee-vo(n) | alive |
| la voile | la vwal | sail, sailing |
| la voiture | la vwa-tewr | car |
| la voiture de course | la vwa-tewr duh koorss | race car |
| la voiture de police | la vwa-tewr duh poleess | police car |
| le voyage | luh vwa-yaj | journey, travel |

**W**

| | | |
|---|---|---|
| les wagons (m) | lai va-go(n) | railway cars |

**Y**

| | | |
|---|---|---|
| le yaourt | luh ya-oort | yogurt |

**Z**

| | | |
|---|---|---|
| le zèbre | luh zebr | zebra |